DAS KNOBLAUCH-KOCHBUCH

Julia Gutmann

DAS KNOBLAUCH-KOCHBUCH

tosa

Inhalt

Knoblauch – eine ganz besondere Knolle

Knoblauch (lat. Allium sativum L.) gehört wie alle Zwiebelpflanzen im weiteren Sinn zur Familie der Liliengewächse (lat. *Liliaceae*). Er wurde schon in antiker Zeit planmäßig angepflanzt und ist deshalb als eine der ältesten Gewürz- und auch Kulturpflanzen der Welt bekannt. Daran erinnert der lateinische Name Allium sativum, denn ‚sativus' bedeutet ‚angebaut, kultiviert'.

Ursprünglich stammt der Knoblauch aus Zentralasien. Von dort aus trat er früh zu einem Siegeszug um die ganze Welt an. In Keilschrift auf 5000 Jahre alten Tontafeln wird ebenso über ihn berichtet wie beim antiken griechischen Autor Herodot. Eine bildliche Darstellung in Form einer in Stein gemeißelten Knoblauchzehe findet sich an einer der Pyramiden von Gizeh. Aus Ägypten und dem alten Griechenland ist überliefert, daß Knoblauch den Zwangsarbeitern verabreicht wurde, um ihre Arbeitskraft und Gesundheit bei dem harten Frondienst zu erhalten. Auch hoffte man, damit Seuchen in den Lagern verhüten zu können.

Knoblauch als Heil- und Hausmittel

Seit jeher spielte also neben Geschmack und Würzkraft des Knoblauchs auch die medizinische Wirksamkeit eine große Rolle. Schon der antike Autor Dioskurides berichtete über seine vielfältige Verwendung als Heilmittel. Und die Medizin des europäischen Mittelalters schrieb der Pflanze günstige Auswirkungen bei zahlreichen Krankheitsbildern zu, unter anderem bei Hunde- und Schlangenbiß, bei Hautleiden, Lungenerkrankungen, Zahnschmerzen, Haarausfall, als wurm- und harntreibendes, potenzförderndes Mittel sowie allgemein als Gegengift ...

Bis heute ist der Knoblauch nicht nur wegen seines guten Geschmacks, sondern auch wegen seines günstigen Einflusses auf die Gesundheit ein beliebtes Nahrungsmittel. Es wird ihm eine desinfizierende und blutdrucksenkende Wirkung nachgesagt. Außerdem soll der regelmäßige Genuß von Knoblauch helfen, den Cholesterinspiegel zu kontrollieren und die Gefäße zu stärken.

Die mystische Kraft der Knolle

Auch im Aberglauben hat der Knoblauch von alters her seinen festen Stammplatz. Man war der Überzeugung, man könne mit ihm böse Geister, ja sogar Vampire, vertreiben. Dracula fürchtete den Knoblauch fast so sehr wie das Kreuzzeichen!

Vom Duften und Stinken

Das einzige, was den Siegeszug des Knoblauchs zumindest im nördlichen Europa etwas hemmte, ist sein Geruch, der, noch Stunden später wahrnehmbar, vielfach als unangenehm aufdringlich empfunden wird. Wohl aber kann man diese Nebenwirkung durch frische Petersilie, Milch, Kaugummi oder die eifrige Verwendung von Wasser, Seife und Zahnpasta zumindest abmildern. Zudem verliert länger mitgekochter Knoblauch an Intensität. Das beste „Gegengift" ist allerdings, selbst etwas davon zu essen, wodurch man gegen die Wahrnehmung von Knoblauchgeruch erst einmal immunisiert ist.

Mit Knoblauch kochen

In der modernen Küche, die leicht ist und überwiegend von frischen Gemüsen und knackigen Salaten bestimmt wird, hat sich der Knoblauch längst einen festen Platz erobert, und zwar in der Spitzengruppe der Würzpflanzen. Mit ihm als Zutat in exotischen Gerichte gelingt es erstaunlich einfach, einen Hauch Urlaub und mediterraner Lebensart in unsere Breiten zu holen. Sehr viele Knoblauchgerichte stammen aus dem Mittelmeerraum, so zum Beispiel die berühmte Knoblauchsoße Aioli aus der Provence. Vielen italienischen Gerichten gibt der Knoblauch erst den richtigen Pfiff, aber auch aus Spanien und Portugal stammen zahlreiche traditionelle, aber auch weniger bekannte Rezepte in diesem Buch. Die aromatische Knoblauchknolle ist auch aus der Koch-Kultur des Balkans, Ungarns oder Griechenlands, woher das berühmte Tsatsiki stammt, nicht mehr wegzudenken. Auch in der asiatischen Küche ist der Knoblauch seit Jahrhunderten zu Hause, wie man an einigen fernöstlichen Gerichten, die unsere Reise durch die Welt des Knoblauch abrunden, feststellen kann.

Knoblauch ist (fast) immer richtig

Knoblauch paßt fast zu allem: Zu Suppen, Salaten, Nudeln und Reis ebenso wie zu Meeresfrüchten, zu Geflügel- und Fleischgerichten. Mit Tomaten läßt er sich ideal kombinieren, aber auch mit Paprikaschoten, Chillies, Ingwer und einer Vielzahl anderer Gewürze geht er harmonische Verbindungen ein. Unübertroffen schmeckt er sowohl zusammen mit Rosmarin, Basilikum oder Thymian als auch klassisch mit Butter oder Olivenöl. Etwas Salz darauf gestreut – fertig ist zum Beispiel das Knoblauchbrot!

Doch nicht nur für pikante Speisen mit kräftigem Knoblauchgeschmack, sondern auch einfach nur als Zugabe für eine Vielzahl von Speisen ist Knoblauch bestens geeignet. Man kann ihn einlegen, Öl damit aromatisieren, Pfannen, Fonduetöpfe oder Auflaufformen vor der Zubereitung leicht damit einreiben. Manchmal genügt schon ein Hauch davon, um eine Mahlzeit zu veredeln. Ob pikant oder leicht – lassen Sie sich inspirieren von dieser äußerst vielseitigen Würzpflanze und den Rezepten in diesem Band.

Original Griechisches Tsatsiki

2 Salatgurken (je ca. 300 g), Salz, 6–8 Knoblauchzehen, 1/4 l griechischen Joghurt (alternativ Sahnequark mit 1 Becher normalem Joghurt vermischt), 4 EL Öl, 1 EL Essig, 1 Msp. Paprikapulver, 2–3 EL geriebene Mandeln, 2–3 EL geriebene Haselnüsse, schwarze Oliven

Die Gurken auf einer Gemüsereibe fein raspeln oder in sehr kleine Stücke schneiden. Mit Salz bestreuen und mindestens 15 Minuten ziehen lassen. Die entstandene Flüssigkeit abgießen. Den Knoblauch schälen und durch die Presse drücken. Mit den Gurken in den griechischen Joghurt (oder Sahnequark mit normalem Joghurt) geben, Öl und Essig zufügen und alles gut verrühren. Diesem Basis-Tsatsiki können je nach Geschmack mehr Knoblauch oder Paprikapulver, geriebene Mandeln oder Haselnüsse beigemischt werden. Mit schwarzen Oliven garnieren.

Gerösteter Knoblauch

4 Knoblauchknollen, 50 g Butter, Salz, Rosmarin, Majoran, Thymian, Oregano

Den Knoblauch schälen und die Zehen in 1–2 Millimeter dicke Scheiben schneiden. Butter in einer Pfanne erhitzen und den Knoblauch mit 1 Prise Salz anbraten. Die Scheiben werden gleichmäßig braun, die dünneren sogar knusprig. Gewürzkräuter nach Geschmack zufügen. Mit Weißbrot oder knusprigem Bauernbrot, grünem Salat, Hartkäse und Wein servieren.

Knoblauchbrot

1 Weißbrot, 4–6 Knoblauchzehen, 4 EL Olivenöl, Salz, Rosmarin, 2 EL Parmesan

Weißbrot in dicke Scheiben aufschneiden. Knoblauch schälen und durch die Presse drücken. Die Weißbrotscheiben im Toaster oder Backofen rösten und mit Olivenöl, Knoblauch und Salz bestreichen. Wenn die Weißbrotscheiben über offenem Feuer geröstet werden, gibt etwas Rosmarin in der Glut ein ganz besonderes Aroma. Die Scheiben können zudem auch mit etwas Parmesan bestreut werden.

Knoblauchbutter

250 g gesalzene Butter, 4–5 Knoblauchzehen

Die Butter schaumig rühren. Den Knoblauch schälen und durch die Presse drücken. Unter die schaumig geschlagene Butter rühren.

Variation: Knoblauch-Kräuter-Butter

Zusätzlich 2 EL feingehackte Kräuter der Saison (z.B. Schnittlauch, Petersilie, Thymian, Majoran) unterrühren.

Tip: Knoblauchbutter läßt sich gut zu einer Rolle geformt in Alufolie einfrieren.

Aioli

2 Eigelb, 1 TL Senf, 3 Knoblauchzehen, Salz, Pfeffer, 300 ml Olivenöl, Zitronensaft, 2 EL feine Schnittlauchröllchen

Eigelb, Senf, gepreßten Knoblauch, Salz und Pfeffer in einer Schüssel gut verrühren. Das Öl zuerst tropfenweise, dann im dünnen Strahl unter ständigem Rühren zugeben. Mit Zitronensaft, Salz und Pfeffer pikant abschmecken. Eventuell mit lauwarmem Wasser auf die gewünschte Konsistenz verdünnen. Schnittlauchröllchen zum Schluß unterrühren.

Ratatouille ■

Knoblauchrahmsuppe mit Markklößchen ■

Crostinis mit Tomaten & Basilikum ■

Blätterteigtaler in Riesling-Käsesuppe ■

Nudeleintopf mit Garnelen ■

Französischer Bohneneintopf ■

Gemüseplatte mit Knoblauchsoße ■

Holländischer Gurkeneintopf ■

VORSPEISEN, SUPPEN & EINTÖPFE

Ratatouille

ZUTATEN

Für 6 Personen:
1 Aubergine (ca. 300 g)
2 Zucchini (ca. 350 g)
250 g Cocktailtomaten
1 rote Paprikaschote
1 grüne Paprikaschote
1 gelbe Paprikaschote
8 EL Sonnenblumenöl
3–4 Knoblauchzehen
2 TL frische Thymianblättchen
1 EL Rosmarinnadeln
Pfeffer aus der Mühle
Salz
Sonnenblumenöl zum Auffüllen

ZUBEREITUNG

1. Gemüse putzen und waschen, die Aubergine würfeln, die Zucchini in 0,5 cm dicke Scheiben, die Paprikaschoten in Streifen schneiden. Das Gemüse in 6 EL Sonnenblumenöl anbraten.

2. Den Knoblauch schälen und halbieren. Die Kräuter waschen und trockentupfen. Beides ebenfalls in Sonnenblumenöl anbraten. Das Gemüse zugeben und pfeffern. Zugedeckt bei schwacher Hitze ca. 45 Minuten schmoren lassen, dabei ab und zu vorsichtig umrühren. Zum Schluß den Deckel abnehmen und die Schmorflüssigkeit etwas eindampfen lassen. Zuletzt mit Salz und Pfeffer abschmecken.

3. Ratatouille in ein großes Glas füllen und mit Sonnenblumenöl auffüllen, so daß alle Zutaten bedeckt sind. Gut verschließen. Im Kühlschrank aufbewahren und innerhalb von einer Woche aufbrauchen. Heiß oder kalt servieren. Diese Gemüse-Spezialität schmeckt beispielsweise zu gegrillten Lammkoteletts oder mit frischem Baguette.

Knoblauchrahmsuppe mit Markklößchen

ZUTATEN

Für 4 Personen:
2 Zwiebeln
8–10 Knoblauchzehen
3 EL Butter
1 l Brühe
10–12 Markklößchen (Tiefkühlpackung)
3 EL Weißwein
6 EL Schnittlauchröllchen
Salz
Pfeffer
1 Eigelb
1 Becher saure Sahne (150 g)
Petersilie

(ohne Abbildung)

ZUBEREITUNG

1. Die Zwiebeln und den Knoblauch schälen und fein hacken. 3 EL Butter in einem Topf zerlassen und darin die Zwiebeln und den Knoblauch glasig dünsten. Mit 1 l Brühe (z.B. Gemüse-, Fleisch- oder Hühnerbrühe) ablöschen und 20 Minuten bei geringer Hitze köcheln lassen.

2. Die fertigen Markklößchen nach und nach in die Suppe geben und nach Packungsanweisung ca. 10–15 ziehen lassen.

3. Den Weißwein und 4 EL Schnittlauchröllchen zugeben. Die Suppe mit Salz und Pfeffer abschmecken. Das Eigelb mit 2 EL saurer Sahne verquirlen und unter Rühren der Suppe zufügen. Nach und nach die restliche saure Sahne einrühren, so daß die Suppe eine rahmige Konsistenz erhält.

4. Die fertige Knoblauchrahmsuppe in vorgewärmte Suppenteller oder Suppentassen füllen und mit den restlichen Schnittlauchröllchen garnieren. Dazu reicht man Baguette oder getoastetes Weißbrot.

Crostinis mit Tomaten & Basilikum

ZUTATEN

Für 4 Personen (ca. 20 Crostinis):
1 Bund Basilikum
2–3 Knoblauchzehen
1 Baguette
Olivenöl
750 g Tomaten
Salz
Pfeffer
Sonnenblumenkerne

ZUBEREITUNG

1. Die Basilikumblätter zerpflücken. Den Knoblauch schälen und fein hacken.

2. Baguette in fingerdicke Scheiben schneiden. 2 EL Olivenöl erhitzen und die Baguettescheiben darin rösten.

3. Die Tomaten überbrühen, häuten, vom Stielansatz befreien, entkernen und in kleine Würfel schneiden. Die Tomatenwürfel mit dem gehackten Knoblauch, Salz und Pfeffer in 4 EL Olivenöl kurz anbraten. Das Basilikum unterrühren und die Masse gleichmäßig auf den Brotscheiben verteilen. Sonnenblumenkerne in 1 EL Öl rösten und die Brote damit bestreuen.

Blätterteigtaler in Riesling-Käsesuppe

ZUTATEN

Für 4 Personen:
150 g Blätterteig (Tiefkühlpackung)
Mehl zum Ausrollen
1 Ei
50 g Sesamsamen
1 Zwiebel
1 Knoblauchzehe
1 Stange Porree
30 g Butter
2 Kartoffeln
3/4 l Hühnerbrühe
1/8 l Riesling
1/8 l Sahne
50 g Emmentaler (gerieben)
50 g Tilsiter (gerieben)
Salz
Pfeffer

ZUBEREITUNG

1. Den Blätterteig 2 mm stark ausrollen, mit einer Form runde Taler ausstechen und auf ein mit kaltem Wasser abgespültes Backblech legen. Eine Stunde ruhen lassen. Danach mit dem verquirlten Ei bestreichen. Mit Sesamsamen bestreuen und im vorgeheizten Backofen bei 200 Grad (Gas Stufe 3) goldbraun backen.

2. Die Zwiebel und den Knoblauch schälen und fein hacken. Den Porree waschen und kleinschneiden.

3. Die Butter in einem Topf zerlassen und die Zwiebeln, den Knoblauch und den Porree darin dünsten. Kartoffeln schälen und würfeln, in den Topf geben. Die Brühe zufügen und alles kochen, bis die Kartoffeln zerfallen. Mit dem Pürierstab mixen. Den Riesling, die Sahne und den Käse einrühren und mit Salz und Pfeffer abschmecken.

4. Die Käsesuppe in vorgewärmte Suppentassen füllen und die gebackenen Blätterteigtaler darauf schwimmen lassen. Eventuell mit ein paar dunkelgrünen Porreeringen garnieren.

Nudeleintopf mit Garnelen

ZUTATEN

Für 4 Personen:
250 g grüne Bohnen
1 Möhre
1/2 Wirsing (ca. 300 g)
200 g Brokkoli
2 Stangen Staudensellerie (ca. 100 g)
200 g Cocktailtomaten
je 1 EL Butter und Öl
1 Knoblauchzehe
1/8 l Weißwein
400 ml Fischfond (Fertigprodukt im Glas)
2 Thymianzweige
1/2 l Gemüsebrühe
400 g Steinbeißer oder Kabeljau
Salz, Zitronensaft
250 g Eiernudeln
100 g Garnelen (evtl. tiefgekühlt)

ZUBEREITUNG

1. Das Gemüse waschen und putzen. Die Bohnen brechen, die Möhre schräg in Scheiben schneiden, den Wirsing grob zerteilen. Den Brokkoli in Röschen teilen, den Sellerie in schmale Scheiben schneiden.

2. Die Butter und das Öl in einem großen Topf erhitzen und nacheinander das Gemüse darin andünsten. Die Knoblauchzehe schälen, fein hacken und zufügen.

3. Mit dem Wein, Fischfond und der Brühe aufgießen, die Thymianzweige zugeben und alles ca. 25 Minuten köcheln lassen.

4. Den Fisch würfeln, salzen und mit Zitronensaft beträufeln. Die Nudeln in Salzwasser in ca. 10 Minuten bißfest kochen, abgießen und warmstellen.

5. Die Cocktailtomaten, den Fisch und die Garnelen zum Gemüse geben und ca. 5 Minuten darin garen lassen. Die Nudeln untermischen und mit Baguette servieren.

Französischer Bohneneintopf

ZUTATEN

Für 4 Personen:
1 Stange Porree
4 Zwiebeln
1–1,5 l Fleischbrühe
1 Hefewürfel
Salz, Pfeffer
1–2 Lorbeerblätter
250 g weiße Bohnen
20 ml Öl
500 g Tomaten
2 Knoblauchzehen
2 EL gehackte Petersilie
1/2 TL Thymian
1/8 l Weißwein
Fett für die Form
50 g Butterkäse (gerieben)

(ohne Abbildung)

ZUBEREITUNG

1. Porree waschen und in Scheiben schneiden. 2 Zwiebeln schälen und würfeln. Brühe mit Hefe, Salz, Pfeffer und Lorbeerblättern gut abschmecken. Die weißen Bohnen (am Vortag eingeweicht oder abgetropft aus der Dose) zusammen mit dem Gemüse in der Brühe ca. 60-70 Minuten kochen. 2 Zwiebeln schälen und kleinschneiden. Das Öl in einer Pfanne erhitzen und die Zwiebeln darin glasig dünsten.

2. Tomaten überbrühen, häuten, vom Stielansatz befreien und vierteln. Knoblauch schälen und durch die Presse drücken, mit Tomaten und Thymian in die Pfanne geben. Mit Weißwein ablöschen. 5–10 Minuten ziehen lassen.

3. Die weißen Bohnen mit der Tomatensoße vermischen und abschmekken. Mit Petersilie bestreuen und mit Weißbrot servieren.

4. Man kann auch mit der Hälfte der Brühe eine Bohnen-Tomaten-Masse herstellen und diese mit geriebenem Käse bestreut in einer Auflaufform im Backofen bei 200 Grad (Gas Stufe 3) ca. 30 Minuten überbacken.

Gemüseplatte mit Knoblauchsoße

Zutaten

Für 4 Personen:
600 g Kartoffeln
2 grüne Paprikaschoten
2 Auberginen (ca. 500 g)
Salz
250 g Champignons
4 Tomaten
8 EL Olivenöl
Pfeffer
1 Msp. Thymian
1 Msp. Oregano
1 Msp. Basilikum
3 Knoblauchzehen
1 TL Zitronensaft
150 g Mayonnaisse
1 EL gehackte Petersilie

Zubereitung

1. Kartoffeln schälen und vierteln. Paprikaschoten waschen, entkernen und in Streifen schneiden. Auberginen waschen und in ca. 1 cm dicke Scheiben schneiden. Kartoffeln ca. 10 Minuten, Auberginen und Paprikastreifen ca. 3 Minuten in Salzwasser blanchieren. Pilze putzen, Tomaten vierteln.

2. 8 EL Olivenöl, Salz und Pfeffer und Thymian, Oregano und Basilikum verrühren und das Gemüse mit dieser Marinade bestreichen.

3. Das marinierte Gemüse auf ein Backblech legen und bei 200 Grad (Gas Stufe 3) ca. 15–20 Minuten garen. Einmal wenden.

4. Den Knoblauch schälen und durch die Presse drücken. Mit dem Zitronensaft und der Mayonnaise verrühren und mit Salz, Pfeffer und der Petersilie abschmecken.

5. Das gegrillte Gemüse auf einer Platte anrichten und mit der Knoblauchsoße und Weißbrot oder italienischem Ciabattabrot servieren.

Holländischer Gurkeneintopf

Zutaten

Für 4 Personen:
800 g Schmorgurken
220 g Möhren
2 Zwiebeln
1 Knoblauchzehe
2 EL Margarine
1/2 l klare Gemüsebrühe
120 g Langkornreis und Wildreis (gemischt)
Salz
1 Prise Cayennepfeffer
2 EL Zitronensaft
2 EL saure Sahne
2 EL gehackte Petersilie

Zubereitung

1. Die Gurken schälen, längs halbieren, entkernen und in Halbringe schneiden. Möhren schälen und in Streifen schneiden. Zwiebeln und Knoblauchzehe schälen, Zwiebeln würfeln, Knoblauch durch die Presse drücken.

2. Die Margarine in einem Topf erhitzen, Möhrenstreifen, Zwiebeln und Knoblauch darin dünsten, bis Zwiebeln und Knoblauch glasig sind. Mit Gemüsebrühe auffüllen, aufkochen, Reis einstreuen und ca. 5 Minuten kochen. Gurkenstreifen zufügen und weitere 10–15 Minuten garen.

3. Den Eintopf mit Salz, Cayennepfeffer und Zitronensaft abschmecken. Nach Belieben mit saurer Sahne verfeinern und mit Petersilie garniert servieren.

Reisteiglasagne ■

Reispfanne mit Hühnerbruststreifen ■

Gefüllte Champignons in Gorgonzolasoße ■

Knödel mit Rahmspinat überbacken ■

Spiralnudeln mit Lamm-Fenchelsoße ■

Spinatgnocchi in Tomatensoße ■

Gemüseteilchen Niçoise ■

Gefüllte Tomaten ■

Gemüsepfanne Provençale ■

Pasta tricolore ■

Mangoldrouladen mit Schafskäsefüllung ■

Knoblauch-Crespelle ■

Chicorée aus dem Ofen ■

REIS-, NUDEL- & GEMÜSEGERICHTE

Reisteiglasagne

ZUTATEN

Für 4 Personen:
12,5 g getrocknete Pilze
3 Schalotten
2 EL Sesamöl, 1 EL Sesamsamen
3 EL Sojasoße
1 Zucchino
3 Salbeiblätter
3 Tomaten, 300 g Blattspinat
1 Knoblauchzehe
1 Msp. gemahlener Koriander
1 Msp. gemahlener Kümmel
2 Msp. gemahlene Muskatnuß
3 Eier
Salz, Pfeffer
2 Packungen Reisteigblätter (je 100 g)
Fett für die Form, 1 TL Zucker
3 EL geröstete Sesamsamen

ZUBEREITUNG

1. Pilze quellen lassen. Schalotten schälen und würfeln. 1 EL Öl erhitzen und Pilze, die Hälfte der Schalottenwürfel und Sesamsamen anbraten. 1 EL Sojasoße einrühren. Zucchino waschen und in Scheiben schneiden. Salbeiblätter in Streifen schneiden und mit dem Zucchino in eine Schüssel geben.

2. Tomaten häuten, vierteln, entkernen. Blattspinat blanchieren. Knoblauch schälen und durch die Presse drücken. Blattspinat, Knoblauch, Koriander, Kümmel und Muskatnuß mischen. Unter Zucchino, Tomaten und Blattspinat jeweils ein Ei schlagen, salzen und pfeffern.

3. Reisplatten nach Packungsanweisung vorbereiten. Eine Kastenform einfetten und mit Reisplatten auslegen. Gemüsemischungen getrennt zwischen Reisplatten schichten, mit Alufolie abdecken und im Wasserbad im Backofen ca. 1 Stunde bei 160 Grad (Gas Stufe 2) garen.

4. Restliche Schalottenwürfel, Sesamöl, 2 EL Sojasoße, 4 EL Wasser und Zucker zu einer Soße vermischen. Lasagne auf eine Platte stürzen, mit gerösteten Sesamsamen bestreuen und mit der Soße servieren.

Reispfanne mit Hühnerbruststreifen

ZUTATEN

Für 4 Personen:
4 Hühnerbrustfilets (à 200 g)
2 Chilischoten
3 Knoblauchzehen
1 EL Balsamessig
8 EL Sojasoße
2 EL flüssiger Honig
5 EL Öl
Salz, Pfeffer
Zucker
300 g Basmatireis
400 g Brokkoli
1 Bund Frühlingszwiebeln
1 rote Paprikaschote
1/2 Ananas (oder 1 kleine Dose Ananas)
50 g Erdnüsse
1/8 l Brühe
3 EL gehackte Petersilie

ZUBEREITUNG

1. Hühnerbrüste in je 3 breite Streifen schneiden. Chilischoten hacken, 2 Knoblauchzehen schälen, durch Presse drücken. Mit dem Essig und 3–4 EL Sojasoße, Honig und 2–3 EL Öl verrühren. Mit Salz, Pfeffer und Zucker abschmecken. Hühnchenteile damit bestreichen und ziehen lassen.

3. Basmatireis kochen. Brokkoli in Röschen teilen. Stiele in Scheiben schneiden. Brokkoliteile in Salzwasser blanchieren ; abgießen und abtropfen lassen. Frühlingszwiebeln in schneiden. Paprikaschote in Streifen schneiden. Ananas kleinschneiden, Erdnüsse grob hacken.

4. Restliches Öl in einer Pfanne erhitzen und die marinierten Hühnerbruststreifen anbraten. Hitze reduzieren und das Fleisch 15–20 Minuten von allen Seiten gut durchbraten. Ab und zu mit Marinade bestreichen. Fleisch herausnehmen und warmstellen.

5. Das Gemüse in die Pfanne geben und in dem Bratensatz anbraten. Knoblauchzehe schälen und hineinpressen. Die Ananasstücke und die Erdnüsse zugeben. Fertigen Basmatireis untermischen und mit Brühe angießen. Mit Sojasoße abschmecken. Hühnerbrust mit dem Gemüsereis auf vorgewärmten Tellern anrichten und mit Petersilie garniert servieren.

Gefüllte Champignons in Gorgonzolasoße

ZUTATEN

Für 4 Personen:
8 große Champignons
150 g Blattspinat
1 Zwiebel
1 Knoblauchzehe
1 Fleischtomate
3 EL Olivenöl
Salz, Pfeffer
70 g Gorgonzola
2 EL Mascarpone
5 EL Weißwein

ZUBEREITUNG

1. Champignons putzen, Stiele herausschneiden und Pilzköpfe aushöhlen. Spinat verlesen und waschen. Zwiebel und Knoblauchzehe schälen und in kleine Würfel schneiden. Tomate waschen, vom Stielansatz befreien achteln und entkernen. Champignonstiele würfeln.

2. 1 EL Öl erhitzen und Pilzköpfe von beiden Seiten darin kurz anbraten, aus der Pfanne nehmen und beiseite stellen. Zwiebel, Knoblauch und Pilzwürfel in demselben Öl dünsten. 1/3 davon zur Seite stellen, Tomaten und Spinat unter den Rest heben, mit Salz und Pfeffer abschmecken und in die Pilzköpfe füllen.

3. Gorgonzola zerbröckeln, pürieren, mit Mascarpone zu einer Creme verrühren, ebenfalls mit Salz und Pfeffer abschmecken und auf den Champignons verteilen.

4. Zur Seite gestelltes Gemüse, restliches Öl und Weißwein in eine Auflaufform geben und die Champignons daraufsetzen. Im vorgeheizten Backofen bei 180 Grad (Gas Stufe 2) etwa 15 Minuten gratinieren. Mit Basilikum garniert servieren.

Knödel mit Rahmspinat überbacken

ZUTATEN

Für 4 Personen:
6 Semmelknödel (auch Fertigpackung)
Salz
1 kleine Zwiebel
1–2 EL Öl
450 g Rahmspinat (Tiefkühlpackung)
Pfeffer
1 Knoblauchzehe (gepreßt)
Muskatnuß
Fett für die Form
75 g dünne Scheiben Emmentaler
50 g dünne Scheiben Frühstücksspeck

ZUBEREITUNG

1. Knödel in einen Topf mit reichlich kaltem Salzwasser geben. 1 Minute kochen und bei schwacher Hitze 15 Minuten ziehen lassen.

2. Zwiebel schälen, in kleine Würfel schneiden und in heißem Öl dünsten. Rahmspinat dazugeben und bei schwacher Hitze 15–20 Minuten auftauen lassen. Mit Salz, Pfeffer, Knoblauch und Muskatnuß abschmecken.

3. Knödel halbieren und in eine flache, gefettete Auflaufform legen. Rahmspinat darüber verteilen. Käse in ca. 2 cm breite Streifen schneiden und abwechselnd mit dem Frühstücksspeck auf den Spinat legen. Den Knödelauflauf im vorgeheizten Backofen bei 220–225 Grad (Gas Stufe 3–4) 10–15 Minuten überbacken.

Spiralnudeln mit Lamm-Fenchelsoße

ZUTATEN

Für 4 Personen:
500 g Spiralnudeln (ersatzweise Penne oder kurze Makkaroni)
Salz
1 Aubergine (ca. 300 g)
1 Fenchelknolle (ca. 400 g)
1 rote Paprikaschote
300 g Lammfleisch
2 Knoblauchzehen, 1 Zwiebel
3 EL Öl
2 EL Tomatenmark
1 EL Senf
400 ml Brühe
4 EL Crème fraîche
Pfeffer, Fenchelsamen
Kräuter der Provence

(Abbildung Seite 18)

ZUBEREITUNG

1. Nudeln nach Packungsanweisung in Salzwasser kochen, abgießen und abtropfen lassen. Aubergine waschen, putzen, in Scheiben schneiden und diese vierteln. Fenchel und Paprikaschote halbieren, putzen und waschen. Beim Fenchel Strunk entfernen. Fenchel in Scheiben schneiden, Paprikaschote in Streifen Schneiden. Lamm waschen, trockentupfen und würfeln. Knoblauch schälen und durch die Presse drücken. Zwiebel schälen und in Ringe schneiden.

2. Öl erhitzen und zuerst das Fleisch, anschließend das Gemüse vermischen, portionsweise anbraten und beiseite stellen. Tomatenmark und Senf im Bratensatz erhitzen, Brühe, Gemüse und Fleisch zugeben und alles 10–15 Minuten köcheln lassen.

3. Die Spiralnudeln dazugeben, mit der Crème fraîche verfeinern und alles mit den Gewürzen abschmecken. Auf vorgewärmten Tellern angerichtet servieren.

Spinatgnocchi in Tomatensoße

ZUTATEN

Für 4 Personen:
500 g vollreife Tomaten
3 Zwiebeln
1 Knoblauchzehe
125 g durchwachsener Speck
2 EL Olivenöl
1/8 l trockener Weißwein
Salz und Pfeffer
1 TL Zucker
Oregano
500 g Spinatgnocchi (Tiefkühlpackung)
4 EL Mascarpone
Basilikumblätter

ZUBEREITUNG

1. Tomaten mit kochendem Wasser überbrühen, häuten, vom Stilansatz befreien, entkernen und würfeln. Zwiebeln und Knoblauchzehe schälen und fein hacken, Speck würfeln.

2. Öl in einer Pfanne erhitzen, Speckwürfel darin knusprig braten. Zwiebeln und Knoblauch zugeben und glasig dünsten. Tomaten untermischen, Weißwein zugießen und alles zugedeckt ca. 10 Minuten köcheln lassen.

3. Gnocchi in reichlich Salzwasser ca. 15 Minuten ziehen lassen, bis sie an der Oberfläche schwimmen, abgießen und abtropfen lassen.

4. Inzwischen die Soße mit Salz, Pfeffer, Zucker und Oregano abschmecken Falls sie zu dünnflüssig ist bei starker Hitze einkochen.

5. Gnocchi mit der Soße auf Tellern anrichten und je 1 EL Mascarpone obenauf geben. Mit Basilikumblätter garnieren.

Gemüseteilchen Niçoise

ZUTATEN

Für 4 Personen:
1/2 Bund Petersilie
1/2 Bund Basilikum
2 Schalotten
5 Knoblauchzehen
4 Scheiben Weißbrot
100 g durchwachsener Speck
200 g Champignons
2 EL Olivenöl
Pfeffer
Rosmarinzweige
Fett für das Blech
4 gelbe oder rote Tomaten
6 Minipaprikaschoten
6 kleine Artischocken (ersatzweise Artischockenböden aus der Dose)
2 EL Zitronensaft
Salz

ZUBEREITUNG

1. Petersilie und Basilikum waschen, Blättchen abzupfen und zerkleinern. Schalotten und Knoblauch schälen und fein hacken. Brot und Speck in Würfel schneiden. Champignons putzen und vierteln.

2. Öl erhitzen, Speck, Champignons, Schalotten und Knoblauch anbraten, Brotwürfel dazugeben und kurz mitbraten. Etwas abkühlen lassen, die Kräuter untermischen und mit Pfeffer würzen.

3. Rosmarinzweige waschen, trockentupfen und auf ein gefettetes Backblech legen. Tomaten und Paprikaschoten putzen, waschen, die Deckel abschneiden und Tomaten und Paprikaschoten aushöhlen. Bei den frischen Artischocken die Blätter bis zum Boden abschneiden und die Böden in Zitronenwasser mit etwas Salz ca. 5 Minuten kochen.

4. Tomaten und Paprikaschoten mit der Speck-Brot-Masse füllen, die Deckel aufsetzen und Tomaten und Paprikaschoten auf das Blech legen. Im vorgeheizten Backofen bei 175 Grad (Gas Stufe 2) ca. 30 Minuten garen.

Gefüllte Tomaten

ZUTATEN

Für 4 Personen:
4 große Fleischtomaten
1 mittelgroße Zwiebel
3 Knoblauchzehen
1 EL Butter
1 EL Schweineschmalz
125 g Reis (z. B. Arborio)
8 EL trockener Weißwein
1/4 l Fleischbrühe
100 g Parmesan
3 EL Mascarpone
Fett für die Form
400 g Blattspinat
2 EL Olivenöl
Salz
Pfeffer
30 g geröstete Pinienkerne

ZUBEREITUNG

1. Fleischtomaten waschen, trockentupfen, einen Deckel abschneiden und die Tomaten aushöhlen. Fruchtfleisch beiseite stellen. Zwiebel würfeln und Knoblauch durch die Presse drücken.

2. Butter und Schmalz in einer Kasserolle erhitzen, Zwiebelwürfel, etwa 1 gepreßte Knoblauchzehe und Reis zugeben und glasig braten. Wein und Fleischbrühe angießen und alles zugedeckt ca. 25 Minuten garen.

3. Parmesan und Mascarpone unter das Risotto mischen.

4. Die Masse in die Tomaten füllen und Tomatendeckel auflegen. Die gefüllten Tomaten in eine bereits gefettete Auflaufform setzen und zugedeckt bei 175 Grad (Gas Stufe 2) ca. 10–15 Minuten garen.

5. Blattspinat verlesen, gründlich waschen und harte Stengel entfernen. Olivenöl in einem großen Topf erhitzen, restlichen Knoblauch, Tomatenfruchtfleisch und tropfnassen Spinat zugeben. Zugedeckt ca. 5 Minuten dünsten und abschmecken. Spinat auf einer Platte anrichten, Tomaten darauf setzen und mit Pinienkernen bestreuen.

Gemüsepfanne Provençale

ZUTATEN

Für 2 Personen:
3 Knoblauchzehen
1 Zwiebel
1 gelbe Paprikaschote
1 Zucchino
1 EL Olivenöl
150 g Reis
Kräuter der Provence
1 kleine Dose Tomatenmark

ZUBEREITUNG

1. 2 Knoblauchzehen und die Zwiebel schälen, Knoblauch durch die Presse drücken und Zwiebel fein würfeln. Paprikaschote und Zucchino putzen und waschen. Zucchino in Scheiben und Paprika in Streifen schneiden. Alles zusammen in Olivenöl anbraten und mit 400 ml Wasser ablöschen.

2. Reis hinzufügen und ca. 15 Minuten kochen. Kräuter der Provence, 1 gepreßte Knoblauchzehe und Tomatenmark zugeben und alles 5 Minuten garen.

3. Gemüsepfanne Provençale auf Tellern anrichten und mit frischen Kräutern garnieren. Servieren Sie grüne und schwarze eingelegte Oliven dazu.

Pasta tricolore

ZUTATEN

Für 4 Personen:
200 g Staudensellerie
1 Bund Frühlingszwiebeln
2 EL Butter
1/4 l Gemüsebrühe
2 Knoblauchzehen
1 mittelgroßer Apfel
250 g Mascarpone
3 EL Pesto
2 EL Zitronensaft
Salz, Pfeffer
400 g rote Bandnudeln
1 EL Olivenöl
50 g Parmesan (frisch gehobelt)

ZUBEREITUNG

1. Selleriestangen und Frühlingszwiebeln putzen, waschen und in Scheiben bzw. grobe Stücke schneiden.

2. Butter in einer Pfanne erhitzen, Gemüse darin andünsten und mit Brühe ablöschen. Knoblauchzehen schälen, durch die Presse drücken, zugeben und alles ca. 6–8 Minuten köcheln lassen.

3. Die bereits geschälten und entkernten Apfelhälften reiben und zufügen. Den Mascarpone und das Pesto unterziehen und mit Zitronensaft, Salz und Pfeffer abschmecken. Bandnudeln nach Packungsanweisung mit Olivenöl bißfest kochen.

4. Die roten Bandnudeln mit der Mascarponesoße auf Teller anrichten und mit Parmesanhobeln bestreut servieren.

Mangoldrouladen mit Schafskäsefüllung

ZUTATEN

Für 4 Personen:
200 g Reis
1 Mangoldstaude
1 Knoblauchzehe
200 g Schafskäse
2 EL gehackte Petersilie
3 Eier
1 Zwiebel
1 EL Butter
100 ml Brühe
100 ml Sahne
5 EL trockener Weißwein
bunter Pfeffer und Petersilie

(ohne Abbildung)

ZUBEREITUNG

1. Reis nach Packungsbeilage zubereiten. Mangold verlesen, waschen, Stiele entfernen und diese fein würfeln.

2. Mangoldblätter blanchieren, kalt abbrausen und trockentupfen. Knoblauch schälen und durch die Presse drücken.

3. Schafskäse zerkrümeln, mit Reis, gepreßtem Knoblauch, Petersilie und Eiern mischen. Die Masse auf die Mitte der Mangoldblätter geben, die Seiten einschlagen, Blätter zu Rouladen aufdrehen und mit Spießen fixieren.

4. Zwiebel schälen, fein würfeln und mit den gewürfelten Mangoldstielen in zerlassener Butter in einer tiefen Pfanne glasig braten. Die Mangoldrouladen dazugeben und ringsrum kurz mitbraten. Brühe, Sahne und Weißwein angießen und alles zugedeckt bei milder Hitze 15 Minuten schmoren lassen. Soße eventuell etwas binden.

5. Rouladen mit der Sahne-Weißwein-Soße auf vorgewärmten Tellern anrichten. Bunten Pfeffer und gehackte Petersilie darüberstreuen und mit frischem griechischen Fladenbrot servieren.

Knoblauch-Crespelle

ZUTATEN

Für 4 Personen:
125 g Mehl
1/4 l Milch
3 Eier
Salz
5 EL Butter
80 g Basilikum
3 Knoblauchzehen
2 EL Sahne
4 EL geriebener Parmesan
1 Dose Pizzatomaten (ca. 375 g)
1 TL getrockneter Thymian
1 gewürfelte Tomate
Pfeffer
etwas Zucker

ZUBEREITUNG

1. Mehl, Milch, Eier und 1 Prise Salz zu einem glatten Teig verrühren. 3 EL Butter schmelzen, leicht abgekühlt unter den Teig heben und diesen ca. 20 Minuten ruhen lassen.

2. Basilikum waschen und trockentupfen, Knoblauchzehen schälen. Ein paar Basilikumblätter zur Seite legen. Mit dem Mixer den restlichen Basilikum und 2 Knoblauchzehen pürieren, mit Sahne und Parmesan verrühren und mit Salz abschmecken. Die Basilikum-Knoblauch-Creme zugedeckt beiseite stellen.

3. 1 EL Butter in einer kleinen Pfanne zerlassen und etwas Teig hineingeben. Nacheinander acht hauchdünne Crespelle auf beiden Seiten goldgelb backen, kurz abkühlen lassen und mit Basilikum-Knoblauch-Creme bestreichen. Crespelle zusammenklappen und auf einer vorgewärmten Platte anrichten.

4. Restlichen Knoblauch durch die Presse drücken und in Butter zusammen mit Tomaten andünsten. Mit Thymian, Salz, Pfeffer und Zucker abschmecken. Die Soße zu den Crespelle servieren und mit Tomatenwürfeln und Basilikum garnieren.

Chicorée aus dem Ofen

ZUTATEN

Für 4 Personen:
8 möglichst gleich große Chicoréestauden (ca. 800 g)
Salz
250 g Blattspinat
1 Bund Petersilie, 1/2 Bund Schnittlauch
1 Thymianzweig
2 Knoblauchzehen
1 TL Butter
30 g gemahlene Haselnüsse
20 g gehackte Haselnüsse
80 g Paniermehl
50 g Parmesan, 2 Eigelb
grober Pfeffer
8 dünne Scheiben Frühstücksspeck
Fett für die Form
1 Glas Fertigsoße für Käsegratin (ca. 380 g)

ZUBEREITUNG

1. Chicoréestauden putzen, waschen, längs halbieren, in reichlich Salzwasser in ca. 10 Minuten bißfest garen, herausnehmen und gut abtropfen lassen. Blattspinat verlesen, gründlich waschen und im Chicoréekochwasser 3 Minuten blanchieren. In ein Sieb abgießen und sorgfältig ausdrücken. Petersilie, Schnittlauch und Thymian waschen, gut trockentupfen und fein hacken. Knoblauchzehen schälen und durch die Presse drücken.

2. Butter erhitzen, Knoblauch, Spinat, Haselnüsse und 40 g Paniermehl anschwitzen. Parmesan reiben, mit Kräutern und Eigelb zugeben. Mit Salz und Pfeffer würzen.

3. Jeweils zwei Chicoréehälften mit der Masse füllen und mit Speck umwickeln. In eine gefettete Gratinform setzen und Fertigsoße für Käsegratin darüber verteilen. Mit dem restlichen Paniermehl bestreuen und im vorgeheizten Backofen bei 200 Grad (Gas Stufe 3) ca. 25 Minuten überbacken.

Gemüsestrudel mit Joghurt-Sahne-Soße ■

Meeresfrüchtegratin in Knoblauchsoße ■

Nudelgratin mit Lamm ■

Bunter Maccaroniauflauf ■

Griechischer Nudelauflauf ■

Spinatpfannkuchen mit Gouda ■

Reisauflauf Olymp ■

Paprika-Zwiebel-Quiche ■

Französisches Knoblauchgratin ■

AUFLÄUFE, QUICHE & CO.

Gemüsestrudel mit Joghurt-Sahne-Soße

ZUTATEN

Für 4 Personen:
1/2 Wirsing (ca. 300 g)
Salz
1 Zwiebel
1 rote Paprikaschote
1 Fenchel (ca. 350 g)
1 Knoblauchzehe
4 EL Öl
4 EL Sojasoße
2 Möhren
1/4 Knolle Sellerie (ca. 300 g)
2 Zucchini (ca. 300 g)
1 Packung Blätterteig (Tiefkühlprodukt)
1 Mozzarella
1 Ei
1 Becher Crème fraîche (125 ml)
1 Becher Joghurt (125 ml)
2–3 EL Schnittlauchröllchen

ZUBEREITUNG

1. Den Wirsing putzen, in einzelne Blätter teilen, große Rippen entfernen, waschen und in etwas Salzwasser blanchieren. Zwiebel schälen und hacken, Paprikaschote putzen, entkernen und in dickere Streifen schneiden. Fenchel waschen, putzen, vom Strunk befreien und in Scheiben schneiden. Knoblauch schälen und fein hacken. Die Zwiebel, die Paprikaschote und den Knoblauch in dem Öl und der Sojasoße bei starker Hitze anbraten. Möhren und Sellerie schälen und die Zucchini waschen und putzen. Alles in Streifen schneiden, dazugeben und kurz mitbraten.

2. Den Fertigblätterteig ausrollen. Die Wirsingblätter und das Gemüse darübergeben und mit zerkleinertem Mozzarella bestreuen. Den Strudel einrollen. Die Enden zusammendrücken mit Eigelb bestreichen. Im vorgeheizten Backofen bei 220 Grad (Gas Stufe 4) 10 Minuten backen. Die Temperatur auf 180 Grad (Gas Stufe 3) zurückschalten und den Strudel in ca. 25 Minuten fertigbacken.

3. Crème fraîche und Joghurt mischen. Mit Salz und Pfeffer abschmecken. Mit Schnittlauchröllchen garnieren. Strudel und Joghurtsoße zusammen servieren.

Meeresfrüchtegratin in Knoblauchsoße

ZUTATEN

Für 4 Personen:
1 Packung Meeresfrüchte (Tiefkühlprodukt)
3 Knoblauchzehen
2 EL Olivenöl
1 kg Kartoffeln
2 Tomaten
200 ml Sahne
200 ml Milch
6 EL Sojasoße
2 TL Oregano
Muskatnuß
Salz
Pfeffer
12 grüne Oliven (entsteint)
50 g junger Gouda (gerieben)

ZUBEREITUNG

1. Meeresfrüchte auftauen lassen. 2 Knoblauchzehen schälen und durch die Presse drücken. Alles in 2 EL heißem Olivenöl in einer Pfanne anbraten.

2. Die Kartoffeln schälen und in sehr feine, die Tomaten in breite Scheiben schneiden. Sahne mit Milch, einer weiteren Knoblauchzehe und Sojasoße verrühren. Mit Oregano, gemahlener Muskatnuß, Salz und Pfeffer abschmecken.

3. In eine feuerfeste Auflaufform zuunterst die Kartoffelscheiben schichten und nacheinander mit den Tomaten, Meeresfrüchten und halbierten Oliven bedecken. Mit einer Schicht Kartoffeln abschließen. Die Knoblauch-Sahne-Sauce über das Meeresfrüchtegratin gießen und geriebenen Käse darüberstreuen.

4. Im vorgeheizten Backofen bei 220 Grad (Gas Stufe 4) auf der mittleren Schiene ca. 30 Minuten goldbraun überbacken.

Nudelgratin mit Lamm

Zutaten

Für 4 Personen:
500 g Lammfleisch von der Keule
3 EL Öl
4 Schalotten
1 Knoblauchzehe
4 Stangen Staudensellerie (ca. 200 g)
1 Möhre
Salz
Pfeffer aus der Mühle
1 Msp. Cayennepfeffer
1 TL Thymian
1/8 l Rotwein
150 g Crème fraîche
250 g Spiralnudeln
500 g Fleischtomaten
4 EL Butter
1 EL Paniermehl
100 g Emmentaler (gerieben)

Zubereitung

1. Das Fleisch in ca. 1 cm große Würfel schneiden und in einem Topf in 3 EL Öl kräftig anbraten. Herausnehmen und beiseite stellen.

2. Die Schalotten und den Knoblauch schälen, fein hacken und im verbliebenen Fett andünsten. Den Staudensellerie waschen, die Möhre schälen und beides in dünne Streifen schneiden.

3. Mit dem Fleisch in den Topf geben und 5 Minuten dünsten. Mit Salz, Pfeffer, Cayennepfeffer und Thymian abschmecken. Den Rotwein und die Crème fraîche unterrühren und alles 10 Minuten köcheln lassen.

4. Die Spiralnudeln in kochendem Salzwasser in ca. 10 Minuten bißfest garen und abtropfen lassen. Die Fleischtomaten überbrühen, häuten, vom Stielansatz befreien, entkernen und grob hacken. Unter das Fleisch mischen und alles weitere 10 Minuten garen.

5. Eine Auflaufform mit 1 EL Butter einfetten. Die Nudeln mit dem Lammragout mischen und einfüllen. Das Paniermehl mit dem geriebenen Käse mischen und das Gratin damit bestreuen. Butterflöckchen aufsetzen und im vorgeheizten Backofen bei 200 Grad (Gas Stufe 3) ca. 20 Minuten auf der mittleren Schiene goldbraun gratinieren.

Bunter Maccaroniauflauf

ZUTATEN

Für 4 Personen:
250 g Maccaroni
Salz
300 g Blattspinat (Tiefkühlpackung)
1 Zwiebel
1 Knoblauchzehe
2 EL Öl
Pfeffer
150 g Schafskäse
3 Tomaten
1/4 l Milch
1/8 l Sahne
3 Eier
100 g geriebener Gouda
Blattsalat

(Abbildung auf Seite 34)

ZUBEREITUNG

1. Nudeln nach Packungsanweisung in Salzwasser bißfest kochen, abgießen und abtropfen lassen. Blattspinat auftauen lassen. Zwiebel und Knoblauchzehe schälen und fein würfeln. Öl erhitzen, Zwiebel, Knoblauch und Spinat darin ca. 5 Minuten dünsten und mit Salz und Pfeffer abschmecken.

2. Schafskäse in kleine Würfel schneiden. Tomaten waschen, achteln und entkernen. Milch, Sahne und Eier verquirlen; mit Salz und Pfeffer würzen.

3. Eine Kastenform mit Backpapier auslegen und abwechselnd Maccaroni, Blattspinat, Schafskäse und Tomatenachtel einschichten. Anschließend mit Eiermilch übergießen. Grün, Weiß und Rot ergeben die italienischen Nationalfarben.

4. Auflauf mit Käse bestreut im vorgeheizten Ofen bei 175 Grad (Gas Stufe 2) ca. 45 Minuten backen. Maccaroniauflauf aus der Form nehmen, in Scheiben schneiden und nach Wunsch mit Blattsalat auf Tellern angerichtet servieren.

Griechischer Nudelauflauf

ZUTATEN

Für 4 Personen:
250 g Makkaroni
Salz
5 EL Olivenöl
1 große Zwiebel
2 Knoblauchzehen
300 g Lammhack
2 Auberginen (ca. 500 g)
1 Zucchino
1 Dose Tomatenstücke (Pizzatomaten)
5 EL Ajvar
1 1/2 TL Thymian
Pfeffer
1 EL Speisestärke
1/2 Tasse Fleischbrühe
1 Becher Crème fraîche (150 g)
100 g mittelalter Gouda (gerieben)
3 EL Paniermehl
10–12 grüne und schwarze Oliven

ZUBEREITUNG

1. Die Makkaroni in Salzwasser in ca. 10 Minuten, abtropfen lassen.

2. Zwiebel und Knoblauch schälen und fein hacken. 2 EL Olivenöl erhitzen und das Hackfleisch, Zwiebel und Knoblauch anbraten. Auberginen und Zucchino in Scheiben schneiden. Auberginenscheiben salzen und ca. 30 Minuten lang Wasser ziehen lassen. Flüssigkeit abtupfen. Auberginenscheiben nacheinander in heißem Olivenöl anbraten. Tomaten abgießen und mit Ajvar, Thymian, Salz, Pfeffer abschmecken. Die Speisestärke, Fleischbrühe und Crème fraîche verrühren.

3. Eine Auflaufform mit Öl auspinseln, einige Löffel der Tomatenmischung einfüllen. Die Hälfte der Nudeln darauf verteilen. Hackfleischmischung, die Hälfte der Gemüsescheiben, die Crème fraîche-Sauce und die restlichen Nudeln darübergeben. Mit Gemüsescheiben und der restlichen Tomatenmischung abschließen. Käse mit Paniermehl und 1 Prise Salz vermischen. Die Oliven entsteinen und mit dem Käse über dem Auflauf verteilen. Im Backofen bei 180 Grad (Gas Stufe 2) ca. 40 Minuten backen.

Spinatpfannkuchen mit Gouda

ZUTATEN

Für 4 Personen:
200 g Weizenvollkornmehl
3 Eier
1/4 l Milch
1/8 l Mineralwasser
Salz
600 g Spinat (alternativ 2 Packungen Tiefkühlspinat)
1 Bund Frühlingszwiebeln
1 Knoblauchzehe
1 EL Butter oder Öl
Pfeffer
Muskatnuß
3 EL Sonnenblumenkerne
150 g Gouda
Butterschmalz

ZUBEREITUNG

1. Für den Pfannkuchenteig das Vollkornmehl mit den Eiern, der Milch, dem Mineralwasser und Salz zu einem glatten Teig verrühren und 30 Minuten quellen lassen.

2. Spinat verlesen, waschen, Tiefkühlspinat nach Packungsanweisung auftauen lassen. Frühlingszwiebeln putzen und in Ringe schneiden. Knoblauch schälen und durch die Presse drücken. 1 EL Butter oder Öl in einer Pfanne erhitzen. Frühlingszwiebeln und Knoblauch darin anbraten. Frischen Spinat in ca. 150 ml Salzwasser blanchieren und abtropfen lassen. Spinat zu den Zwiebeln und dem Knoblauch geben. Ca. 12 Minuten garen, mit Salz, Pfeffer und Muskatnuß abschmecken und beiseite stellen.

3. Sonnenblumenkerne trocken in einer Pfanne rösten, herausnehmen und beiseite stellen. Käse reiben. Butterschmalz in einer Pfanne erhitzen und darin 8 Pfannkuchen backen. Diese schichtweise mit Spinat, Sonnenblumenkernen und dem Gouda belegt aufeinanderlegen. Den obersten mit Käse bestreuen. Ein Backblech mit Backpapier auslegen und den Pfannkuchenturm im Backofen bei 200 Grad (Gas Stufe 4) ca. 20 Minuten überbacken.

Reisauflauf Olymp

ZUTATEN

Für 4 Personen:
200 g Langkornreis und Wildreis, gemischt
2 Zwiebeln
2 EL Öl
400 g Hackfleisch
1 Zucchino
1 Aubergine (ca. 300 g)
2 Knoblauchzehen
500 g Tomaten
Thymian, Oregano, Paprikapulver
Salz, Pfeffer
Fett für die Form
100 g Schafskäse
8 eingelegte rote Peperoni

ZUBEREITUNG

1. Den Reis nach Packungsbeilage zubereiten. Zwiebeln schälen, fein würfeln und in erhitztem Öl glasig dünsten. Hackfleisch zugeben und anbraten.

2. Zucchino und Aubergine waschen, putzen und in Streifen schneiden. Zum Hackfleisch geben und 5 Minuten dünsten. Knoblauch schälen und durch die Presse drücken.

3. Die Tomaten waschen, vom Stielansatz befreien, würfeln und mit dem Knoblauch zum Hackfleisch geben. Die Masse mit Kräutern und Gewürzen abschmecken.

4. Den Reis und die Hackfleisch-Gemüse-Masse in eine gefettete Auflaufform geben. Gewürfelten Schafskäse darüber streuen und mit den roten Peperoni garnieren. Bei 225 Grad (Gas Stufe 3) im vorgeheizten Backofen ca. 10 Minuten garen.

Paprika-Zwiebel-Quiche

ZUTATEN

Für 6 Personen:
350 g Mehl
175 g Butter
1/2 TL Salz
2 gelbe Paprikaschoten
2 große Zwiebeln
3 Knoblauchzehen
1/8 l Brühe
3 Becher Crème fraîche (à 150 g)
Paprikapulver
Salz, Pfeffer
50 g Salamischeiben (ungarisch)
100 g geriebener Käse

(ohne Abbildung)

ZUBEREITUNG

1. Das Mehl mit der Butter, dem Salz und 4 EL kaltem Wasser zu einem glatten Mürbteig verrühren. Den Teig ca. 1 Stunde im Kühlschrank kaltstellen.

2. Die Paprikaschoten waschen, putzen, entkernen und würfeln. Die Zwiebeln schälen und ebenfalls würfeln. Den Knoblauch schälen und durch die Presse drücken.

3. Die Brühe mit der Crème fraîche, den Paprika- und Zwiebelwürfeln und dem Knoblauch vermischen. Die Masse mit Paprikapulver, Salz und Pfeffer abschmecken.

4. Den Teig ausrollen und auf ein Backblech legen. Die Zwiebel-Paprika-Creme darauf verteilen und mit den Salamischeiben belegen. Mit dem geriebenen Käse bestreuen und im vorgeheizten Backofen bei 200 Grad (Gas Stufe 2) ca. 30 Minuten backen.

Französisches Knoblauchgratin

ZUTATEN

Für 4 Personen:
12 Knoblauchzehen
100 g Crème fraîche
100 ml Sahne
1/2 Tasse Brühe
Salz
Pfeffer
250 g breite Bandnudeln
1 EL Öl
1 Zucchino
100 g Champignons
Butter für die Form
100 g junger Gouda (gerieben)
2 EL gehackte Walnußkerne

ZUBEREITUNG

1. Knoblauchzehen schälen, grob hacken und zusammen mit der Crème fraîche, der Sahne und der Brühe ca. 5 Minuten köcheln lassen. Mit Salz und Pfeffer kräftig abschmecken.

2. Die Bandnudeln in Salzwasser in ca. 10 Minuten bißfest kochen, abtropfen lassen und 1 EL Öl unterrühren.

3. Zucchino waschen, putzen und längs in dünne Streifen schneiden. Champignons putzen und in Scheiben schneiden.

4. Zucchino- und Champignonscheiben ca. 3 Minuten in kochendem Wasser blanchieren, mit einem Schaumlöffel herausnehmen und abtropfen lassen.

5. Eine flache Auflaufform buttern. Die Nudeln, Gemüsescheiben und Knoblauchcreme miteinander vermischen und in die Form geben. Mit dem geriebenen Käse bestreuen und im vorgeheizten Backofen bei 180 Grad (Gas Stufe 2) auf der mittleren Schiene ca. 30 Minuten goldbraun überbacken. Mit den gehackten Walnüssen bestreut servieren.

Fischfilets mit Mascarponegemüse

Knoblauchgarnelen

Pikante Putenrouladen

Coq au vin

Knusprige Ente mit Basmatireis

Knoblauch-Hähnchen

Haziendasteak

Gebratene Lammkoteletts mit Brokkoli

Knoblauch-Ćevapčići

Ossobuco

Blätterteig-Gyrostaschen

Hasenrücken in Knoblauchsoße

Gefüllter Hirschbraten Provençale

Geflügel, Fleisch & Fisch

Fischfilets mit Mascarpone-Gemüse

ZUTATEN

Für 4 Personen:
4 Fischfilets (à 200 g)
Saft einer unbehandelten Zitrone
Salz, Pfeffer
700 g Kartoffeln
4 Tomaten
1 Zucchino (ca. 200 g)
1 Stange Staudensellerie
1 Bund Frühlingszwiebeln
1 Knoblauchzehe
200 g Mozzarella
je 1 TL Basilikum, Thymian, Oregano
125 g Mascarpone
5 EL Olivenöl, 2 EL Tomatenmark
1 Msp. Thymian
8–12 Cocktailtomaten
Basilikum

ZUBEREITUNG

1. Fischfilets waschen, trockentupfen, mit Zitronensaft beträufeln und Salz und Pfeffer würzen. Kartoffeln schälen und häuten, vierteln, entkernen und das Fruchtfleisch würfeln. Zucchino würfeln, Sellerie in Scheiben und Frühlingszwiebeln in Ringe schneiden.

2. Knoblauchzehe schälen und durch die Presse drücken. Den Mozzarella würfeln. Beides mit Basilikum, Thymian, Oregano und Mascarpone vermischen. 3 EL Olivenöl in einer Pfanne erhitzen. Zucchinowürfel, Sellerie und Frühlingszwiebeln darin anbraten. Hitze reduzieren und Mascarponemasse zugeben. Tomatenwürfel zufügen. Tomatenmark einrühren und die Soße mit Salz und Pfeffer abschmecken.

3. Eine Auflaufform mit dem restlichen Olivenöl einfetten und die Fischfilets hineinlegen. Gemüse-Mozzarella-Mascarponemischung zugeben und bei 220 Grad (Gas Stufe 3) überbacken. Kartoffeln abgießen, mit 1 EL Olivenöl beträufeln und mit Thymian bestreuen. Das Gericht mit halbierten Cocktailtomaten und Basilikumblättern garniert servieren.

Knoblauchgarnelen

ZUTATEN

Für 4 Personen:
1 Eiweiß
2 EL Speisestärke
3 EL trockener Sherry
2 TL Zitronensaft
800 g ausgelöste Garnelen
100 ml Olivenöl
8 Knoblauchzehen
3 Frühlingszwiebeln
2 Chilischoten
1 Ingwerwurzel
2 EL Chiliöl, 1 EL Sojasoße
200 ml Hühnerbrühe
Zucker, weißer Pfeffer, Petersilie
1 rote und 1 gelbe Paprika (in Streifen)

(Abbildung auf Seite 46)

ZUBEREITUNG

1. Für die Marinade das Eiweiß steif schlagen. Die Speisestärke mit 1 EL Sherry und dem Zitronensaft darunterschlagen. Die Garnelen sorgfältig abspülen und 5–10 Minuten bei milder Hitze kochen, abtropfen lassen, die Eischaummarinade locker unterheben und alles 15 Minuten ziehen lassen.

2. 2 Knoblauchzehen und die Frühlingszwiebeln schälen und fein hacken. Ingwerwurzel schälen und in sehr dünne Scheiben schneiden.

3. Chiliöl, Sojasoße und Hühnerbrühe mit dem restlichen Sherry und 1 Prise Zucker verrühren. Die restlichen Knoblauchzehen schälen und durch die Presse drücken. In Olivenöl anbräunen und wieder herausnehmen. Bei niedriger Hitze die Garnelen im aromatisierten Öl anbraten. Herausnehmen und auf Küchenpapier abtropfen lassen.

4. Die Gemüsemischung in der Pfanne bei hoher Temperatur kurz anbraten, die Garnelen mit dem Gemüse vermischen. Kurz vor dem Servieren die Chiliölsoße zufügen.

Pikante Putenrouladen

ZUTATEN

Für 4 Personen:
5 EL Sojasauce
1 EL Honig
4 dünne Scheiben Putenbrust
2 Knoblauchzehen
2 Stangen Porree
3 EL Öl
50 g gehackte Erdnüsse
Pfeffer
2 TL Speisestärke
1/4 l Brühe

ZUBEREITUNG

1. 4 EL Sojasauce und 1 EL Honig verrühren und die Innenseite der Putenbrustscheiben damit bestreichen.

2. Die Knoblauchzehen schälen und durch die Presse drücken. Porree putzen, waschen und in feine Streifen schneiden. 1 EL Öl in einer Pfanne erhitzen und den Knoblauch und den Porree kurz darin anbraten. Die Erdnüsse zugeben und mit der restlichen Sojasauce und dem Pfeffer abschmecken.

3. Einen Teil des Gemüses auf die Putenbrustscheiben verteilen. Zu Rouladen aufrollen, mit Rouladennadeln oder Zahnstochern feststecken und mit Speisestärke bestäuben.

4. 2 EL Öl erhitzen und die Rouladen darin von allen Seiten anbraten. Mit dem 1/4 l Brühe angießen und alles zugedeckt ca. 50 Minuten schmoren lassen.

5. Das restliche Gemüse noch einmal kurz erhitzen und die Rouladen darauf anrichten.

Coq au vin

ZUTATEN

Für 4 Personen:
1 Hähnchen (ca. 1,5 kg)
Salz, Pfeffer
1 EL Mehl
150 g Räucherspeck
250 g Egerlinge
12 Schalotten
50 g Butterschmalz
1/2 l Rotwein
4 EL Sojasoße
1/2 l Geflügelbrühe
1/2 Bund Petersilie
1 Thymianzweig, 1 Lorbeerblatt
50 g Butter

ZUBEREITUNG

1. Hähnchen in 8 Teile schneiden, salzen, pfeffern und mit Mehl bestäuben. Den Räucherspeck würfeln, die Egerlinge waschen, putzen und vierteln. Die Schalotten schälen.

2. 50 g Butterschmalz in einer Pfanne erhitzen, die Hähnchenteile von allen Seiten in 10–12 Minuten goldbraun anbraten.

3. Mit dem Rotwein, der Sojasoße und der Geflügelbrühe angießen und alles aufkochen lassen. Die Petersilie, den Thymian und das Lorbeerblatt zusammenbinden und dieses Gewürzsträußchen dazugeben. Zugedeckt bei schwacher Hitze ca. 75 Minuten schmoren lassen. Das Gewürzsträußchen herausnehmen.

4. Eiskalte Butterwürfel unter die Soße rühren und mit Baguette servieren.

Knusprige Ente mit Basmatireis

Zutaten

Für 4 Personen:
500 g Entenbrust
1 Knoblauchzehe
1 EL Honig
3 EL Sojasoße
1 Prise Chilipulver
150 g Erbsen (Tiefkühlpackung)
1 Bund Frühlingszwiebeln
400 g Chinakohl
2 EL Öl
250 g Basmatireis
2 EL Erdnüsse
1 Glas Fertigsoße für Chinagerichte (400 g)

Zubereitung

1. Entenbrust waschen und trockentupfen. Die Fettschicht mehrmals diagonal einschneiden. Knoblauchzehe schälen, durch die Presse drücken und mit Honig, Sojasoße und wenig Chilipulver verrühren. Entenbrust damit einreiben und ca. 1 Stunde marinieren.

2. Erbsen auftauen, Frühlingszwiebeln und Chinakohl putzen und waschen, Frühlingszwiebeln in Ringe und Chinakohl in Streifen schneiden. Frühlingszwiebel für die Garnierung zurücklegen.

3. Öl erhitzen und Entenbrust von jeder Seite ca. 3 Minuten braten. In Alufolie einwickeln und im vorgeheizten Backofen bei 150 Grad (Gas Stufe 1) ca. 15 Minuten fertig garen.

4. Reis kochen. Frühlingszwiebeln und Erdnüsse im Bratensatz anbraten, Chinakohl und Erbsen zugeben. Fertigsoße für Chinagerichte unterrühren und alles ca. 5 Minuten zugedeckt garen. Entenbrust in feine Streifen schneiden, mit Gemüse und Basmatireis anrichten und mit Frühlingszwiebelstreifen garniert servieren.

Knoblauch-Hähnchen

Zutaten

Für 4 Personen:
1 Brathähnchen (ca. 1,5–2 kg)
3 Knoblauchknollen (etwa 35 Zehen)
130 g Frischkäse
2 EL Crème fraîche
1 EL Schnittlauchröllchen
1 EL gehackte Petersilie
Salz
weißer Pfeffer
100 g grüne Weintrauben (kernlos)
100 g rote Weintrauben (entkernt)
1 Rosmarinzweig
Öl für den Brattopf
30 g Butter

(ohne Abbildung)

Zubereitung

1. Das Hähnchen waschen. Bis auf 2 Zehen den ungeschälten Knoblauch 30 Sekunden in kochendes Wasser geben, herausnehmen und schälen. Eine der restlichen Knoblauchzehen schälen und halbieren. Mit der Schnittseite einer Hälfte die Hähnchenbrust und -beine einreiben, dann die Zehe in Scheiben schneiden. Letzte Knoblauchzehe schälen, durch die Presse drücken und mit Frischkäse, Crème fraîche, Schnittlauch und Petersilie vermischen. Großzügig salzen und pfeffern.

2. Die Käsemischung zwischen Haut und Hähnchenfleisch geben, so daß die Brust vollständig bedeckt ist. Hähnchen mit blanchierten Knoblauch, Weintrauben und Rosmarinzweig füllen.

3. Brattopf mit Öl auspinseln. Hähnchen hineingeben, Knoblauch in Schenkeln und Flügeln einklemmen. Die Brust salzen und Butterflocken aufsetzen. Brust und Schenkel mit Alufolie abdecken. Im Backofen 90 Minuten bei 180 Grad (Gas Stufe 2) garen, bis der austretende Saft nicht mehr rosa ist. In den letzten 20 Minuten die Alufolie entfernen, damit die Haut knusprig wird.

Haziendasteak

ZUTATEN

Für 4 Personen:
4 T-Bone Steaks (à 250 g)
3 EL Butterschmalz
Pfeffer aus der Mühle
1 grüne Paprikaschote
1 rote Paprikaschote
250 g Zwiebeln
2 Knoblauchzehen
100 g Schmelzkäse
1 Dose Chilibohnen (400 g)
1 Becher saure Sahne (150 g)
1 TL Salz
1 TL gekörnte Brühe
Cayennepfeffer
Kräuter zum Garnieren

ZUBEREITUNG

1. Steaks in einer Pfanne in 2 EL Butterschmalz auf jeder Seite ca. 4 Minuten braten und mit Pfeffer aus der Mühle bestreuen.

2. Paprika putzen, waschen, Kerne entfernen und Paprikaschoten in Streifen schneiden. Ein paar Streifen zum Garnieren beiseite legen. Zwiebeln und Knoblauchzehen schälen, würfeln und in dem restlichen Butterschmalz andünsten. Schmelzkäse unterrühren, Chilibohnen (bis auf ein paar zum Garnieren), Paprikastreifen und saure Sahne zufügen und erwärmen. Mit Salz, gekörnter Brühe und Cayennepfeffer abschmecken.

3. Steaks in eine feuerfeste Form legen, mit der Bohnen-Zwiebel-Masse bestreichen und im vorgeheizten Backofen auf der zweiten Schiene von oben bei 250 Grad (Gas Stufe 4) ca. 10 Minuten überbacken.

4. Auf vorgewärmten Tellern anrichten mit Kräutern, Paprikastreifen und den Chilibohnen garnieren.

5. Dazu schmecken herzhaftes Bauernbrot, ein knackiger Salat und frische Grilltomaten.

Gebratene Lammkoteletts mit Brokkoli

ZUTATEN

Für 4 Personen:
1–2 TL eingelegter grüner Pfeffer
100 g Knoblauchbutter
2 EL Gin nach Belieben
4 doppelte Lammkoteletts (à ca. 150 g)
Salz
75 g getrocknete Tomaten in Öl
800 g Brokkoli
40 g Pinienkerne
1–2 EL Öl

ZUBEREITUNG

1. Abgetropften grünen Pfeffer hacken. Mit der Hälfte der Knoblauchbutter und eventuell Gin verkneten. Lammkoteletts waschen, trockentupfen und leicht salzen. Mit Knoblauchbutter bestreichen und 15 Minuten marinieren lassen.

2. Die getrockneten Tomaten abtropfen lassen, Öl dabei auffangen. Den Brokkoli putzen und in Röschen teilen, abbrausen. Die dicken Stiele dünn schälen und schräg in Streifen schneiden. Tomaten quer in Streifen schneiden und beiseite stellen. Tomatenöl und 1 EL Knoblauchbutter erhitzen.

3. Den Brokkoli darin andünsten, salzen und im geschlossenen Topf bei mittlerer Hitze 10–15 Minuten dünsten. Eventuell etwas Wasser zugeben.

4. Die Pinienkerne in einer Pfanne ohne Fett unter Rühren leicht bräunen. Herausnehmen und beiseite stellen. Öl in der Pfanne erhitzen und Lammkoteletts darin auf jeder Seite 4 Minuten braten.

5. Pinienkerne und Tomatenstreifen unter den Brokkoli mischen. Die Lammkoteletts mit Brokkoli und der restlichen Knoblauchbutter auf vorgewärmten Tellern anrichten. Als Beilage passen gebratene Polentataler.

Knoblauch-Ćevapčići

ZUTATEN

Für 4 Personen:
750 g Kartoffeln
300 g dicke Bohnen
Salz
2 Zwiebeln
4 Knoblauchzehen
500 g Hackfleisch
2 EL gehackte Petersilie
1 Ei
Pfeffer
Paprikapulver
3–4 EL Olivenöl
500 g passierte Tomaten
Thymian
Basilikum

ZUBEREITUNG

1. Zwiebeln und Knoblauchzehen schälen, Zwiebeln fein würfeln, Knoblauch durch die Presse drücken. Hackfleisch mit der Hälfte der Zwiebeln und des Knoblauchs, mit 1 EL Petersilie und Ei vermischen. Die Masse mit Salz, Pfeffer und Paprikapulver abschmecken und 5 Zentimeter lange und 2 Zentimeter dicke Röllchen, die Ćevapčići, daraus formen. 2 EL Öl erhitzen, Ćevapčići darin in 8–10 Minuten knusprig braten. Aus der Pfanne nehmen und warmstellen.

2. Kartoffeln kochen. Dicke Bohnen in Salzwasser geben, ca. 20 Minuten garen. 2 EL Öl in einer Pfanne erhitzen und restliche Zwiebelwürfel darin andünsten. Passierte Tomaten sowie den restlichen Knoblauch zugeben und unter Rühren aufkochen lassen. Dicke Bohnen in die Soße geben und mit Thymian, Basilikum, Salz und Pfeffer abschmecken.

3. Ćevapčići zusammen mit den dicken Bohnen, der Tomatensoße und den Kartoffeln anrichten.

Ossobuco

ZUTATEN

Für 4 Personen:
5–6 Scheiben Kalbshaxe
Mehl
6 EL Olivenöl
1/4 l Weißwein
1/4 l Fleischbrühe
2 Nelken
1 Schalotte, 2 Knoblauchzehen
1 Möhre, 1 Stange Porree
1 Scheibe Sellerie (1 cm dick)
1 kleine Dose Tomaten
Salz, Pfeffer, Zitronenschale,
1 TL Thymian, 3 Lorbeerblätter
2 EL gehackte Petersilie
2 EL gehackter Basilikum
1/2 TL Zucker

(ohne Abbildung)

ZUBEREITUNG

1. Haxenscheiben waschen und trockentupfen. In Mehl wälzen. 2–3 EL Öl in einer Pfanne erhitzen und das Fleisch auf beiden Seiten goldbraun braten. Mit dem Wein und der Brühe angießen, Nelken und Lorbeerblätter zufügen. Abdecken und bei mittlerer Hitze ca. 30 Minuten schmoren lassen.

2. Schalotte und Knoblauch schälen, die Schalotte hacken, den Knoblauch durch die Presse drücken. Das Gemüse putzen, die Möhre, den Porree und die Selleriescheibe klein schneiden.

3. Alles mit Öl in der Pfanne anschmoren. Tomatenmark unterrühren. Salzen, pfeffern und mit Zitronenschale und den Kräutern würzen. Gut mischen und noch einige Minuten weiterschmoren.

4. Gemüse in die Haxenbrühe einrühren, zudecken und das Fleisch fertig garen. Abschmecken, mit Zucker abrunden.

5. Die Haxenscheiben mit der Soße anrichten. Mit Petersilie bestreuen. Dazu Reis oder in Butter geschwenkte Nudeln servieren.

Blätterteig-Gyrostaschen

ZUTATEN

Für 5 Personen:
1 EL Öl
500 g Gyrosfleisch (gibt es geschnetzelt und fertig gewürzt an der Fleischtheke)
1 rote Paprikaschote
1 grüne Paprikaschote
10 Scheiben Blätterteig (Tiefkühlpackung, 450 g)
1 Ei
1 Knoblauchzehe
150 g Quark
1 Becher saure Sahne (150 g)
1/2 Salatgurke
Salz
Pfeffer

ZUBEREITUNG

1. Öl in einer Pfanne erhitzen und Gyrosfleisch rundherum ca. 10 Minuten braten.

2. Paprikaschoten halbieren, waschen, putzen, entkernen und in Würfel schneiden. Diese unter das Gyros mischen und mitbraten.

3. Blätterteigquadrate nach Packungsanweisung auftauen lassen. Ei trennen, die Teigränder mit Eiweiß bestreichen. 5 Teigblätter in der Mitte mit der Gyrosmischung belegen. Mit den restlichen 5 Teigblättern abdecken und die Ränder mit einer Gabel fest andrücken.

4. Die gefüllten Blätterteigtaschen mit verquirltem Eigelb bestreichen und im vorgeheizten Backofen bei 200 Grad (Gas Stufe 3) ca. 20 Minuten backen.

5. Knoblauchzehe schälen, durch die Presse drücken und mit Quark und saurer Sahne vermischen. Salatgurke schälen, grob raspeln, mit Salz und Pfeffer unter den Quark rühren und dieses Tsatsiki zu den Gyrostaschen servieren.

Knoblauch-Crespelle

ZUTATEN

Für 4 Personen:
125 g Mehl
1/4 l Milch
3 Eier
Salz
5 EL Butter
80 g Basilikum
3 Knoblauchzehen
2 EL Sahne
4 EL geriebener Parmesan
1 Dose Pizzatomaten (ca. 375 g)
1 TL getrockneter Thymian
1 gewürfelte Tomate
Pfeffer
etwas Zucker

ZUBEREITUNG

1. Mehl, Milch, Eier und 1 Prise Salz zu einem glatten Teig verrühren. 3 EL Butter schmelzen, leicht abgekühlt unter den Teig heben und diesen ca. 20 Minuten ruhen lassen.

2. Basilikum waschen und trockentupfen, Knoblauchzehen schälen. Ein paar Basilikumblätter zur Seite legen. Mit dem Mixer den restlichen Basilikum und 2 Knoblauchzehen pürieren, mit Sahne und Parmesan verrühren und mit Salz abschmecken. Die Basilikum-Knoblauch-Creme zugedeckt beiseite stellen.

3. 1 EL Butter in einer kleinen Pfanne zerlassen und etwas Teig hineingeben. Nacheinander acht hauchdünne Crespelle auf beiden Seiten goldgelb backen, kurz abkühlen lassen und mit Basilikum-Knoblauch-Creme bestreichen. Crespelle zusammenklappen und auf einer vorgewärmten Platte anrichten.

4. Restlichen Knoblauch durch die Presse drücken und in Butter zusammen mit Tomaten andünsten. Mit Thymian, Salz, Pfeffer und Zucker abschmecken. Die Soße zu den Crespelle servieren und mit Tomatenwürfeln und Basilikum garnieren.

Hasenrücken in Knoblauchsoße

ZUTATEN

Für 4 Personen:
650 g gespickter Hasenrücken
Salz, Pfeffer
3 Knoblauchzehen
1 Lorbeerblatt, Thymian
3 Wacholderbeeren
4 Schalotten
1/4 l Weißwein
250 g Spätzle
1 rote Paprikaschote
1 Zwiebel
1 EL Öl
1 kleiner Apfel
1 Wirsing (ca. 900 g)
3 EL Butter
1/8 L Apfelsaft
Muskatnuß
20 g Mehl
3 EL Crème fraîche

ZUBEREITUNG

1. Hasenrücken abwaschen und trockentupfen, in eine Auflaufform legen und mit Salz und Pfeffer würzen. Knoblauch schälen, fein hacken. Lorbeerblatt, Thymian, Wacholderbeeren, halbierte geschälte Schalotten und Knoblauch zugeben. Weißwein und 1/4 l Wasser angießen. Zugedeckt im Ofen bei 180 Grad 45 Minuten garen.

2. In der Zwischenzeit Spätzle nach Packungsanweisung zubereiten. Paprikaschote putzen, entkernen und waschen, Zwiebel schälen. Beides würfeln und in erhitztem Öl andünsten.

3. Apfel waschen, vom Kernhaus befreien und in Spalten schneiden. Wirsing waschen, putzen und in Streifen schneiden, mit 1 EL Butter und Apfelsaft zum Gemüse geben und ca. 20 Minuten dünsten. 5 Minuten vor Ende der Garzeit die Apfelspalten zugeben. Das Gemüse mit Salz, Pfeffer und Muskatnuß herzhaft abschmecken.

4. Hasenrücken aus der Auflaufform nehmen. Weißweinsud abseihen. Mehl in restlicher Butter anschwitzen, Sud zugeben und aufkochen lassen. Mit Crème fraîche, Salz und Pfeffer abschmecken. Soße zum Hasenrücken, Wirsinggemüse und Spätzle servieren.

Gefüllter Hirschbraten Provençale

ZUTATEN

Für 4 Personen:
750 g Hirschbratenfleisch von der Keule
Salz, Pfeffer
1/2 grüne Paprikaschote
1/2 rote Paprikaschote
1/2 Zwiebel
1 Knoblauchzehe
7 grüne Oliven (entsteint)
1 EL Zitronensaft
abgeriebene Schale einer unbehandelten Zitrone
1 Msp. Speisestärke
1 TL gehackte Pistazien
1 TL Pinienkerne
1 EL Butterschmalz
200 ml Apfelsaft
2 EL Crème fraîche

ZUBEREITUNG

1. Hirschbraten waschen, trockentupfen und mit Gewürzen einreiben.

2. Paprikaschoten putzen, entkernen, waschen und grob zerkleinern Zwiebel und Knoblauch schälen. Für die Füllung Oliven, Paprikaschoten, geviertelte Zwiebel, Knoblauch, Zitronensaft, Zitronenschale, Speisestärke, Pistazien und Pinienkerne pürieren.

3. Eine Tasche in das Fleisch schneiden, die Füllung hineingeben und mit Küchengarn zubinden. Butterschmalz in einem Bräter erhitzen und das Fleisch anbraten. Rotwein und Brühe angießen und das Fleisch ca. 70 Minuten schmoren lassen. Fleisch warmstellen, den Bratenfond mit Crème fraîche verfeinern und mit den Gewürzen abschmecken. Dazu schmecken Rosmarinkartoffeln und Blattspinat.

Ungarischer Nudelsalat

Eingelegte Paprikaschoten

Shii-Take-Salat mit Tofu-Croûtons

Hirtensalat Pablo

Salat mit Schafskäse-Dip

Mini-Mozzarella in Knoblauchmarinade

Eingelegter Camembert

BEILAGEN, SOẞEN & SALATE

Ungarischer Nudelsalat

Zutaten

Für 4 Personen:
120 g ungarische Paprikasalami
250 g Schleifennudeln (Fiochetti)
Salz
1 EL Öl
3 Tomaten
1 rote Paprikaschote
1 gelbe Paprikaschote
1 rote Chilischote
1 Zwiebel
2 Knoblauchzehen
150 g Schafskäse
80 g schwarze Oliven (entsteint)
4 EL Rotweinessig
6 EL Öl
1 TL Honig
1 TL Paprikapulver
1 TL Oregano
Pfeffer

Zubereitung

1. Salami in Würfel schneiden. Nudeln in Salzwasser und 1 EL Öl bißfest kochen und abgießen.

2. Die Tomaten waschen, von Stielansatz befreien und würfeln. Die Paprikaschoten waschen, putzen und entkernen. In schmale Streifen schneiden. Chilischote halbieren, entkernen und in kleine Stücke schneiden. Die Zwiebel und den Knoblauch schälen, die Zwiebel in Ringe, den Knoblauch in feine Stücke schneiden. Den Schafskäse mit den Händen oder einer Gabel zerbröckeln, die Oliven halbieren.

3. Aus dem Essig, Öl, Honig, Paprikapulver und Oregano eine Salatsoße anrühren und mit Salz und Pfeffer abschmecken.

4. Die Nudeln mit den Salamiwürfeln, den Tomatenwürfeln, den Paprikastreifen, Chilistückchen und Oliven mischen. Die Salatsoße darüber geben und alles gut durchmischen. Den ungarischen Salat mit dem zerbröckelten Schafskäse bestreut servieren.

Eingelegte Paprikaschoten

Zutaten

500 g rote Paprikaschoten
500 g grüne Paprikaschoten
500 g gelbe Paprikaschoten
3/4 l trockener Weißwein
1/2 l Weißweinessig
10 Knoblauchzehen
2 Thymianzweige
1 Lorbeerblatt
je 10 rote und schwarze Pfefferkörner
1/2 l Olivenöl

(ohne Abbildung)

Zubereitung

1. Die Paprikaschoten waschen, putzen und entkernen. In einen Topf schichten, mit dem Wein und dem Essig übergießen und aufkochen lassen. 5 Minuten bei geringer Hitze im geschlossenen Topf köcheln lassen. Den Knoblauch schälen und in dünne Scheiben schneiden.

2. Die Paprikaschoten abgießen, abtropfen lassen und mit dem Knoblauch abwechselnd in ein großes, luftdicht verschließbares Glas schichten.

3. Den Thymian waschen, trockentupfen und zusammen mit dem Lorbeerblatt und den Pfefferkörnern in das Glas geben. Mit Olivenöl aufgießen, bis alle Zutaten bedeckt sind. Mindestens 3 Tage kühl stellen.

Shii-Take-Salat mit Tofu-Croûtons

ZUTATEN

Für 4 Personen:
150 g Tofu
1/8 l Sojaöl
2 Knoblauchzehen
200 g Shii-Take-Pilze
1 rote Paprikaschote
200 g Feldsalat
1–2 EL Essig
2–3 EL Sojasauce
Pfeffer aus der Mühle

ZUBEREITUNG

1. Den Tofu trockentupfen und in 1 cm große Würfel schneiden. 5–6 EL Sojaöl für die Soße abnehmen. Das restliche Öl in einer tiefen Pfanne erhitzen und darin die geschälten und halbierten Knoblauchzehen leicht anbraten.

2. Die Zehen herausnehmen und die Tofuwürfel in dem vom Knoblauch aromatisierten Öl unter häufigem Wenden goldbraun braten. Die Tofu-Croûtons mit dem Schaumlöffel herausheben und auf Haushaltspapier abtropfen lassen.

3. Die Shii-Take-Pilze putzen, in dünne Scheiben schneiden und ebenfalls in dem Knoblauchöl ca. 5 Minuten braten. Pilze herausnehmen und auf Haushaltspapier abtropfen lassen.

4. Die Paprikaschote waschen, putzen, entkernen und in kleine Würfel schneiden. Den Feldsalat putzen, gründlich waschen und trocken schleudern.

5. Feldsalat auf Teller verteilen, Pilze und Paprikawürfel darüber geben und mit den Tofu-Croûtons bestreuen. Essig und Sojasauce mit 5–6 EL Sojaöl verrühren und den Salat damit beträufeln. Mit frisch gemahlenem Pfeffer garnieren.

Hirtensalat Pablo

ZUTATEN

Für 4–6 Personen:
1 Dose Kidneybohnen (425 g)
1 Dose Maiskörner (425 g)
200 g Schafskäse
2 Zwiebeln
3 Knoblauchzehen
20 Cocktailtomaten
2 rote Paprikaschoten
4-6 EL Kresse
4 EL Sonnenblumenöl
1 EL Essig
1 Msp. Thymian
1 Msp. Paprikapulver

(Abbildung auf Seite 62)

ZUBEREITUNG

1. Die Bohnen und Maiskörner abtropfen lassen und in einer Salatschüssel vermischen.

2. Den Schafskäse würfeln. Die Zwiebeln und 2 Knoblauchzehen schälen und in Würfel schneiden. Die Tomaten waschen und vierteln. Die Paprikaschoten waschen, putzen, entkernen und würfeln. Die Kresse putzen, waschen und kleinschneiden. Zutaten vermischen und zu den Bohnen und den Maiskörnern geben.

3. Die 4 EL Sonnenblumenöl und den Essig mit dem Thymian, dem Paprikapulver und 3 EL Wasser verrühren. 1 Knoblauchzehe schälen und hineinpressen. Mit den übrigen Salatzutaten mischen und alles gut ziehen lassen.

4. Mit Roggenbrötchen oder Weißbrotscheiben servieren.

Salat mit Schafskäse-Dip

ZUTATEN

Für 4 Personen:

100 g schwarze Oliven (aus dem Glas)
1 Dose Gemüsemais (425 ml)
4 Tomaten
1/2 Beet Kresse
1/2 Kopf Endiviensalat
200 g Champignons
2–3 Knoblauchzehen
100 g Schafskäse
125 g saure Sahne
150 g Mayonnaise oder Joghurt
Salz
Pfeffer
Zitronenpfeffer (grob)

ZUBEREITUNG

1. Die Oliven und den Mais abtropfen lassen, die Tomaten waschen, vom Stielansatz befreien und in Scheiben schneiden. Die Kresse abschneiden, waschen und abtropfen lassen. Den Endiviensalat putzen, waschen, abtropfen lassen und in mundgerechte Stücke zupfen.

2. Die Champignons putzen und in Scheiben schneiden. Den Knoblauch schälen und fein hacken.

3. Für den Dip den Schafskäse mit der sauren Sahne und dem Knoblauch pürieren, die Mayonnaise oder den Joghurt unterrühren und mit Salz und Pfeffer abschmecken.

4. Die Oliven, den Mais, die Tomaten, die Champignons, die Kresse und den Salat vermengen, bis eine bunte Salatmischung entstanden ist. Den Schafskäse-Dip darüber geben und mit Zitronenpfeffer garniert servieren.

Mini-Mozzarella in Knoblauchmarinade

ZUTATEN

Für 4 Personen:
40 Mini-Mozarellakugeln (300 g)
3 Knoblauchzehen
Zitronenschale von 1 unbehandelten Zitrone
6–8 Thymianzweige
1 Rosmarinzweig
2–3 TL grober Pfeffer
3 EL Rotweinessig
1/4 l Sonnenblumenöl

ZUBEREITUNG

1. Den Knoblauch schälen und halbieren. Zitronenschale in feine Streifen schneiden. Kräuter waschen und trockentupfen. Mozzarellakugeln abwechselnd mit Knoblauch, Zitronenschale, Kräutern und Pfeffer in ein Glas schichten.

2. Den Rotweinessig darüberträufeln. Mit dem Sonnenblumenöl auffüllen, bis alle Zutaten mit Öl bedeckt sind. Das Glas gut verschließen.

3. Die marinierten Mini-Mozzarella-Kugeln sind im Kühlschrank über 1 Woche haltbar. Sie schmecken am besten mit frischem Weißbrot.

Eingelegter Camembert

ZUTATEN

Für 2 Personen:
6 Majoranzweige
2 Knoblauchzehen
1 EL eingelegter grüner Pfeffer (Glas)
2 Camemberts (à 125 g; 55 % Fett i. Tr.)
2 Lorbeerblätter
Sonnenblumenöl
1 Apfel (rotbackig, z.B. Berlepsch, Boskoop, Elstar)

ZUBEREITUNG

1. Die Majoranzweige waschen und gut trockentupfen. Den Knoblauch schälen und in dünne Scheiben schneiden. Den grünen Pfeffer gut abtropfen lassen.

2. Camemberts achteln und abwechselnd mit Majoran, Knoblauch, Lorbeer und grünem Pfeffer in ein festschließendes Gefäß schichten. Mit Sonnenblumenöl aufgießen, bis alle Zutaten mit Öl bedeckt sind.

3. Das Gefäß schließen und mindestens zwei Tage bei Zimmertemperatur durchziehen lassen.

4. Zum Servieren den rotbackigen Apfel ungeschält vierteln und das Kerngehäuse herausschneiden. Die Apfelviertel in Spalten schneiden, vorsichtig unter den eingelegten Käse heben und mit herzhaftem Bauernbrot servieren.

5. Der eingelegte Camembert hält sich im Kühlschrank mindestens eine Woche.

Bild- und Textquellenverzeichnis:

Birkel: 18, 34
Bonduelle: 54, 57
Deutscher Käse: 13 u (unten), 42, 71
Deutsches Teigwaren-Institut: 5, 6, 15, 39, 41, 45, 65
Fuchs-Gewürze: 8
Galbani: 2, 23, 26 o (oben), 29 o, 31, 49
Geti Wilba: 60, 61
Kikkoman: 21 u, 37 o, 37 u, 50, 51, 67
Koopmans: 59
Langguth: 27, 32
Maggi Kochstudio: 62
Meggle: 46, 55
Pfanni: 25
Suzi Wan: 21 o
Thomy: 11, 69, 70
Uncle Ben's: 17, 29 u, 33, 53, 43 o
USA-Sonnenblumenkerne: 13 o

Redaktion und Verlag danken den beteiligten Unternehmen und Verbänden für die freundliche Unterstüzung bei der Realisation dieses Buches

Impressum:

Der Inhalt dieses Buches ist sorgfältig recherchiert und erarbeitet worden. Dennoch können weder Autor noch Verlag für die Angaben im Buch eine Haftung übernehmen.

Konzept und Realisation: Verlagsbüro. München
Redaktion: Bettina Marquis
Cover von HP-Graph unter Verwendung eines Dias von Kopp Fotografie & Styling, Füssen (aus dem Buch „Ein Hauch von Knoblauch", Hädecke Verlag)

Gesamtherstellung: Der Graph, Wien

Printed in Italy